Oslo

CHRISTIAN IV

"Her skal byen ligge!"

"We shall build the city here"

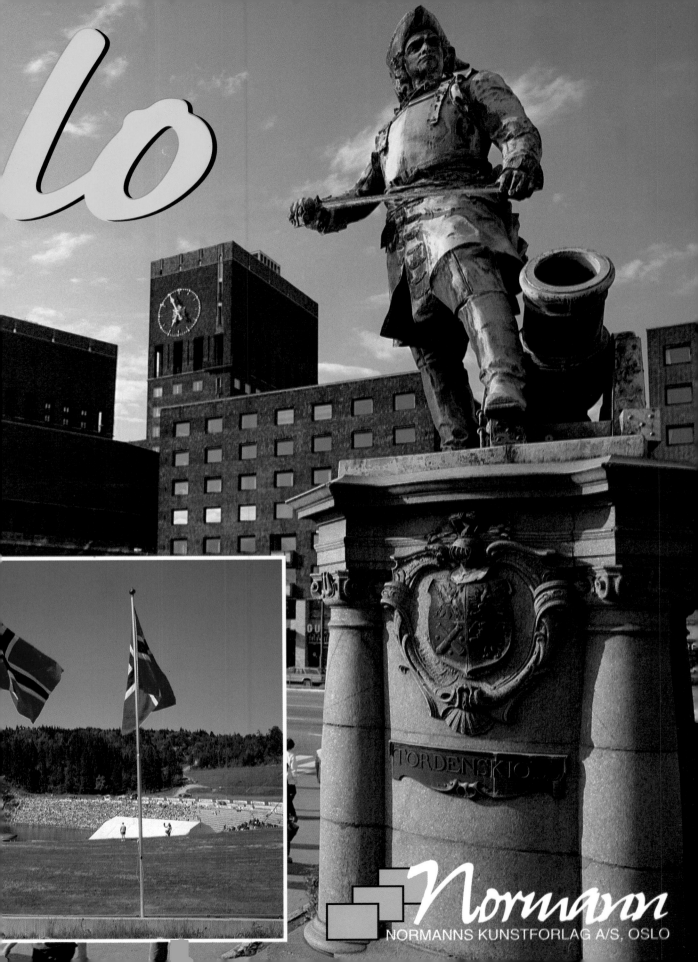

Normann
NORMANNS KUNSTFORLAG A/S, OSLO

NORSK

Oslo vokste frem som et lite handels-
sted omkring år 1048 innerst i Oslo-
fjorden, men allerede i jernalderen var
det markedsplass her med buer, hus
og naust. En rekke branner herjet
hovedstaden under Ekeberg, og etter
brannen i 1624 besluttet Christian IV
at byen skulle flyttes til den andre siden
av Akerselven, til området rundt
Akershus festning, og den nye byen
fristet en skiftende tilværelse med
kriger, branner og farsoter, men også
med fremgang og vekst. Byen fikk
universitet i 1811, og etter at Norge
fikk sin selvstendighet i 1814, ble
Christiania det naturlige sentrum for
landets administrasjon. I 1925 tok byen
igjen navnet Oslo. I dag er Oslo en by
med ca. 500,000 innbyggere, den fyller
hele området rundt indre Oslofjord,
og er berømt for sin vakre beliggenhet
og sine storslagne omgivelser.
Foruten Det kongelige slott og
Stortinget, som begge ligger ved byens
hovedgate "Karl Johan", har byen en
rekke severdigheter. Kunstmaleren
Edvard Munch skjenket alle sine
arbeider til Oslo Kommune, og de er
nå samlet i et eget museum som bærer
hans navn.
Kon-Tiki flåten som Thor Heyerdahl
benyttet på sin ferd over Stillehavet
i 1947, har fått sitt eget museum på
Bygdøy. Ikke langt derfra finner vi
polarskipet "Fram", vikingskipene som
ble bygget i det 9. århundre e. K.
og Norsk Folkemuseum med bygninger
og folkekunst fra hele landet.
Vigelands skulpturpark er også en av
byens store severdigheter og likeledes
Holmenkollbakken litt utenfor selve
bykjernen.

ENGLISH

Oslo grew into a small trading centre around 1048 at the head of the Oslo fjord, although there was a market with stalls, houses and boathouses here as early as the Iron Age. A number of fires wreaked havoc in the capital at the foot of Ekeberg and, following the fire of 1624, Christian IV decided to move the city to the other side of the river Aker, to the area around Akershus Fortress. The new city had a chequered history with wars, fires and epidemics, as well as progress and growth. The city's university was opened in 1811 and, when Norway gained its independence in 1814, Christiania became the natural centre for the country's administration. In 1925 the city once again took the name Oslo. Today, Oslo has around 500,000 inhabitants, fills the whole area surrounding the head of the Oslo fjord and is famous for its beautiful location and its magnificent surroundings. Besides The Royal Palace and The Storting (the nation's parliament), both located on the city's main street, Karl Johans gate, the city has a number of other tourist attractions. The artist Edvard Munch bequeathed all his works to the Municipality of Oslo and they are now displayed in their own museum, which bears his name.

The Kon-Tiki raft, on which Thor Heyerdahl sailed across the Pacific Ocean in 1947, has its own museum on Bygdøy. Nearby lie the polar ship, 'Fram', Viking ships built in the 9th century and The Norwegian Folk Museum with buildings and folk art from the whole country.

The Vigeland sculpture park is also one of the city's great attractions, as is Holmenkollen ski jump just a short distance from the city centre.

OSLO HAVN

Oslo har alltid vært en sjøfartsby,
og den har landets travleste havn.
Passasjer- og lasteskip forbinder byen
med alle landene rundt Nordsjøen.

Oslo has always been a maritime city
and is the country's busiest port. Pas-
senger and cargo ships connect the city to
all the countries bordering the North Sea.

OSLO RÅDHUS

Oslo Rådhus ble påbegynt i 1931, og byggearbeidet skred raskt frem under ledelse av arkitektene Arnstein Arneberg og Magnus Paulsson frem til 1940 da den annen verdenskrig forsinket fullførelsen.
Byggearbeidet fortsatte for fullt etter krigen, og de Norske kunstnerne fikk store og krevende oppgaver med utsmykninger både ute og inne. Den høytidelige åpning fant sted 15. mai 1950.

The construction of Oslo City Hall began in 1931 and progressed rapidly under the leadership of architects Arnstein Arneberg and Magnus Paulsson until 1940, when W.W.II delayed its completion.
Construction work continued immediately after the war and Norwegian artists received large, demanding commissions to decorate both the inside and outside of the building. It was formally opened on the 15th May 1950.

Oslo Rådhus.   Oslo City Hall.

CHRISTIANIA TORV

Mellom Rådhuset og Akershus ligger Christiania torv. Skulpturen (til venstre) er mesterverket til kunstneren Wenche Gulbrandsen, og kalles "Christian den 4's hanske". Her ligger Det Gamle Raadhus, som ble bygget i 1641, og faktisk var det første Rådhus i hovedstaden. Nå er 1. etasje restaurant med uteservering.

Ved torvet finner en også "Teatermuseet i Oslo". Det holder hus i samme bygning. Siden trafikkåren forbi torvet ble regulert under bakken, har torvet erobret tilbake mye av den historiske sjarmen, med underlag av brostein. Stedsnavnet kommer fra byens grunnlegger, kong Christian IV (1588-1648). Sønn av Fredrik II og Sofie av Mecklenburg.

Christiania Torv is situated between City Hall and Akershus. The sculpture in the centre of it is Wenche Gulbrandsen's masterpiece and is called "Christian den 4's hanske" (Christians IV's glove). The Old City Hall is also situated here. Built in 1641, it was actually the capital's first city hall. The ground floor is now a restaurant with outdoor seating during the summer.

The building is also the home of Oslo's Museum of Theatre. Since the traffic was redirected into tunnels, the square has regained much of its historical charm, including its cobblestones. It was named after the city's founder, King Christian IV (1588-1648), the son of Fredrik II and Sofie of Mecklenberg.

AKERSHUS FESTNING

Akershus, festningen som aldri er blitt beseiret, ble bygget av Håkon Magnusson ca. 1300.

Akershus, the fortress that has never been conquered, was built by Håkon Magnusson, in circa 1300 AD.

Akershus slott ligger som et verdig minnesmerke fra vår fortid, om natten som en flombelyst juvel. I våre dager er slottet restaurert og ført tilbake til sitt gamle utseende, og det benyttes som representasjonslokaler for regjeringen.

Akershus castle stands as a worthy monument to our past, looking like a floodlit jewel at night. Today, the castle has been restored and returned to its original appearance and is used for official government receptions.

AKER BRYGGE

Aker brygge er en kystperle i sentrum
av Oslo. På bryggen er det et yrende liv
hele sommeren. Stedet er en naturlig
samlingsplass. Her er serveringssteder,
butikker, kontorer og leiligheter.
Aker brygge er en heldig blanding
av moderne byggteknikk, og utnytelse
av den opprinnelige byggmasse etter
Aker Mekaniske Verksted A/S. Så
sent som i 1982 ble skipsverftet
nedlagt. Etter å ha vært der siden
1857.

Aker Brygge is a pearl in the centre of
Oslo. The wharf teems with life all
summer and, with its restaurants, bars,
shops and offices, is a natural meeting
place. Aker Brygge is a successful
mixture of modern construction
techniques and the utilisation of the
original buildings of Aker Mekaniske
Verksted A/S.
The shipyard closed as late as 1982,
after having being there since 1857.

Aker brygge, Rådhuset og Akershus festning virker nå som en
stilfull ramme rundt havnebassenget. Ved Aker brygge er det
også en helårs småbåthavn. Seilskuta "Christian Radich" er
ellers en del av utsikten når hun er i havn.

Aker Brygge, the City Hall and Akershus Fortress elegantly frame the harbour basin. Aker Brygge also has an all-year marina. The sailing ship 'Christian Radich' also forms part of the view when she is in port.

Oslo sentrum har i dag et rikt
varierende liv og en sjarmerende
blanding av gammel og ny arkitektur.

Today, Oslo City Centre is a richly
varied metropolis and is a charming
mixture of old and new architecture.

I nærheten av Sentralbanestasjonen og Jernbanetorget er det et rikt tilbud til publikum. Der ligger Oslo City kjøpesenter med over 100 forretninger. Sentret kan også tilby bank, post og andre tjenester.
I området ligger også Østbanehallen.

The area around the Central Station and Jernbanetorget offers a rich variety to the public, including the Oslo City shopping centre, with its more than 100 shops, bank, post office and other amenities.
The old Østbanehallen is also located here.

Vika i gamle dager et strøk som var
preget av fattigdom og forfall. I dag er
strøket preget av moderne forretnings
og kontorbygg.
Her finner man også Oslo konserthus.

In the old days, Vika was a rundown,
poverty stricken area. Today, the
district is full of modern shops and
office buildings. Oslo's Concert Hall
is also to be found here.

NATIONALTHEATRET

Siden 1. sept. 1899 har Nationaltheatret vært Norges hovedscene. De 22 årene fra de første planer til det sto ferdig, var en periode preget av kraftig dramatikk. Foruten de økonomiske vanskeligheter, var det en engasjert debatt om plasseringen. Spesielt fra Universitet i Oslo, på den andre siden av gaten, var det sterk motstand. Skuespiller Bjørn Bjørnson, som var en sterk pådriver underveis, ble Nationaltheatrets første teatersjef. Han var sønn av nasjonaldikteren Bjørnstjerne Bjørnson, dikteren som skrev teksten til Nasjonalsangen. Henrik Ibsen var også aktiv i samtiden. Foran hovedinngangen står statuer av Bjørnstjerne Bjørnson (til venstre) og Henrik Ibsen (under).

The National Theatre has been Norway's most important stage since 1st September 1899. The 22 years between drawing up the initial plans and its actual completion was a period marked by high drama. Besides the financial difficulties, there was an intense debate concerning its location. The University of Oslo, on the other side of the street, put up particularly strong resistance. The actor Bjørn Bjørnson, who was a strong supporter of the project during this period, became the National Theatre's first manager. He was the son of Norway's poet laureate, Bjørnstjerne Bjørnson, the poet who wrote the words for the national anthem. Henrik Ibsen was also writing at this time. Statues of Bjørnstjerne Bjørnson (right) and Henrik Ibsen (below) stand outside the theatre's main entrance.

DET KONGELIGE SLOTT

Slottet sto ferdig høsten 1848.
Kong Carl Johan valgte tomten,
men hans sønn kong Oscar I, var
den første til å flytte inn. Etter
konge inntoget 25.11.1905, flyttet
kong Haakon VII, med familie dit.
Slottet har senere gått i arv til kong
Olav V og kong Harald V.

The Palace was completed in the
autumn of 1848. King Karl Johan
chose the site, though his son, King
Oscar I, was the first monarch to
move in. King Haakon VII and
his family took up residence
following the national
referendum about adopting a
constitutional monarchy on
25.11.1905. The Palace has since
passed to King Olav V and then
King Harald V.

Et rødt flagg med løve i gull, signal-
iserer når kongen er på sitt slott. Den
høye alder gjorde det nødvendig med
oppussing på 90-tallet. Fasaden fikk
først kyndig behandling. Senere er
interiøret rehabilitert. Resultatet er et
vakkert slott byen kan være stolt av.
På 17. mai er det tradisjon at konge-
familien står på slottsbalkongen, og
blir hilst av barnetoget og folket
(bilde til høyre).

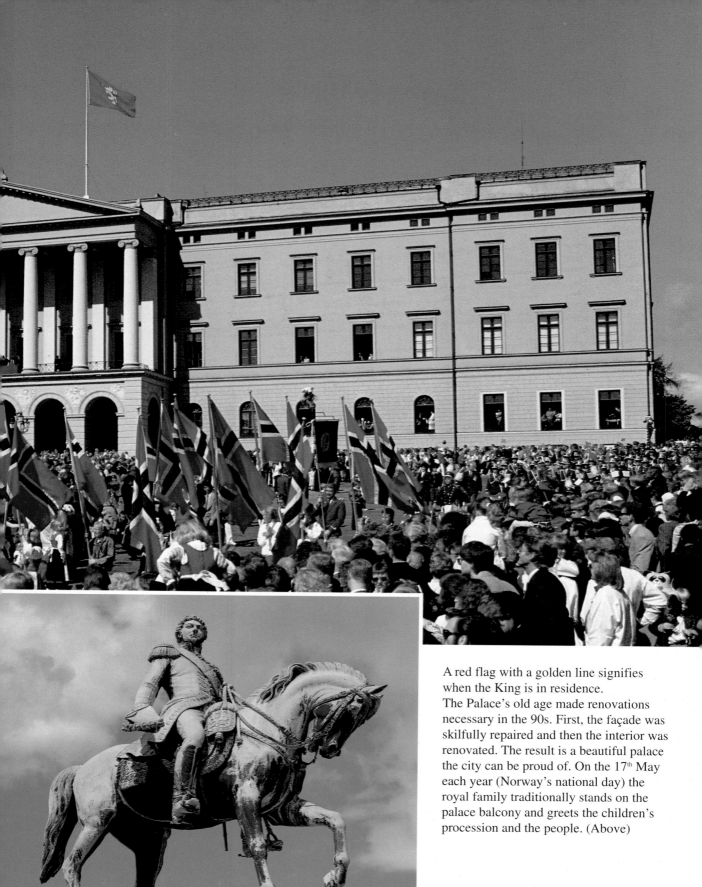

A red flag with a golden line signifies when the King is in residence.

The Palace's old age made renovations necessary in the 90s. First, the façade was skilfully repaired and then the interior was renovated. The result is a beautiful palace the city can be proud of. On the 17th May each year (Norway's national day) the royal family traditionally stands on the palace balcony and greets the children's procession and the people. (Above)

STUDENTERLUNDEN

Like ved Karl Johans gate, Oslos hovedgate, finner vi Studenterlunden med sine sprudlende fontener og byens gamle Universitet.

Studenterlunden, with its lovely fountains, and the city's original university buildings can be found on Karl Johans gate, Oslo's main street.

STORTINGET

Stortinget er Norges nasjonalforsamling. Her sitter 165 representanter som velges ved stortingsvalget hvert 4. år.

The Storting is Norway's parliament where the 165 representatives elected in the parliamentary elections, held every four years, sit.

KARL JOHANS GATE

Dette er Oslos parade og hovedgate. Høyt til hest foran Det Kongelige Slott, kan kong Karl Johan se nedover gaten som er oppkalt etter ham. I den lyse sommertiden er det masser av folk på Karl Johans gate. Stort folkeliv er det også i Studenterlunden og Spikersuppa som ligger langs hovedgaten.

This is Oslo's main street. High on his horse, King Karl Johan surveys the street named after him. Karl Johans gate is packed with people during sunny summer days. Studenterlunden and Spikersuppa, which are on Karl Johans gate, also teem with life.

STORTORGET

Stortorget er byens blomstermarked, og her finner vi Christian IV., den moderne bys grunnlegger, som peker ut hvor byen skal ligge.

Stortorget is the city's flower market. A statue of Christian IV, the founder of today's modern city, can be seen here, pointing to where the city will be built.

OSLO DOMKIRKE

Oslo Domkirke ble innviet i 1697, og mens eksteriøret forble uforandret gjennom det 18. århundre fikk interiøret en stadig rikere utsmykning. I 1850 fikk kirken sitt høyreiste slanke tårn. Og ved den siste restaureringen (fullført i 1950) fikk interiørene sitt nåværende utseende med takmalerier som er laget av Hugo Louis Mohr.

Oslo Cathedral was consecrated in 1697 and, while the exterior remained unchanged during the 18th century, the interior was steadily more ornately decorated. The cathedral got its narrow high steeple in 1850. The interior got its present appearance, with ceiling murals by Hugo Louis Mohr, during its last restoration (completed in 1950).

NORSK SJØFARTSMUSEUM

Vakkert plassert ytterst på Bygdøynes
ligger Norsk Sjøfartsmuseum med rike
maritime samlinger. Museet har Norges
største samling av gjenstander knyttet
til sjøfart, kystkultur og marinarkeologi.
Spennende gjenstander fra skipsvrak,
polarekspedisjoner og fra livet til sjøs
er utstilt.

The Norwegian Maritime Museum, with
its rich maritime collection, is beautifully
situated at the tip of the Bygdøy
promontory. The museum houses
Norway's largest collection of items
associated with seafaring, coastal culture
and marine archaeology. Exciting
artefacts from shipwrecks, polar
expeditions and life at sea are on display.

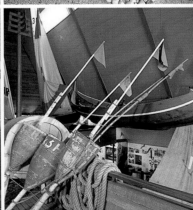

NORSK FOLKEMUSEUM

Norsk Folkemuseum er landets største friluftsmuseum med 170 bygninger hentet fra forskjellige distrikter i landet. Bygningene er rikt utstyrt med innbo fra de respektive tidsperioder. Dessuten har museet store samlinger som viser vår kulturelle utvikling blant fattig og rik, i by og på land.

The Norwegian Folk Museum is the country's largest open-air museum with 170 buildings from various districts around the country.
The buildings are richly furnished with household objects from their respective eras. The museum also houses large collections showing the cultural development of both the rich and the poor, in urban and country districts.

Gol Stavkirke som opprinnelig var bygget (ca 1200) på Gol i Hallingdal, er Norsk Folkemuseums største klenodium, vakkert plassert på det høyeste punkt i området.

The Gol stave church, which was originally built in Gol, Hallingdal (circa 1200 AD), is The Norwegian Folk Museum's greatest national treasure. It is beautifully situated at the highest point in the area.

FRAM MUSEET

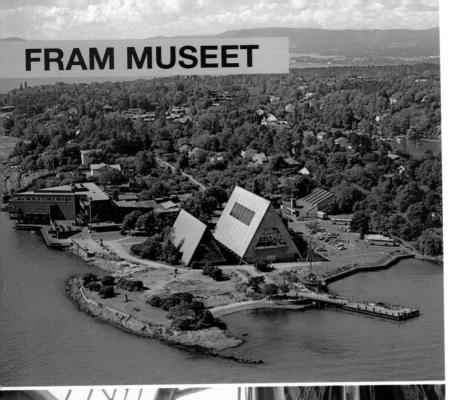

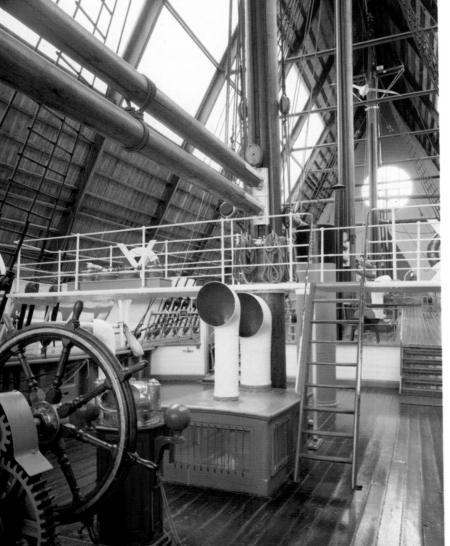

"Fram" er det fartøy i verden som har vært lengst mot nord (Nansens ekspedisjon 1893 -1896) og lengst mot syd (Amundsens ekspedisjon 1910 - 1914). "Fram" ligger nå i trygg havn i sin egen bygning på Bygdøy.

'Fram' is the ship which has travelled the farthest north (Nansen's expedition 1893-1896) and farthest south (Amundsen's expedition 1910-1914) in the world. 'Fram' is now safely moored in dry dock in its own building on Bygdøy.

KON-TIKI MUSEET

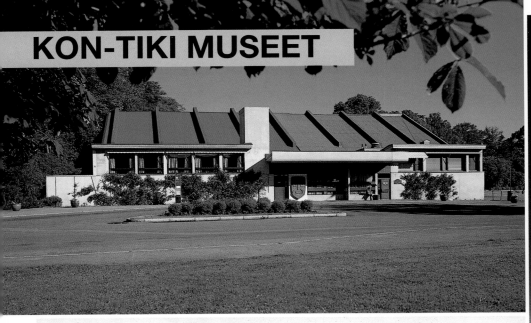

Ra II seilte fra Safi i Marokko i mai 1970 med 8 mann fra 8 nasjoner og nådde Barbados i Karibien 57 døgn senere etter en seilas på 6100 kilometer.

Ra II set sail from Morocco in May 1970 with a crew of eight men from eight different nations and reached Barbados in the Caribbean 57 days later, after a voyage of 6100 kilometres.

Kon-Tiki Museet huser den originale balsaflåten "Kon-Tiki" som Thor Heyerdahl krysset Stillehavet med i 1947 og papyrusbåten Ra II som han krysset Atlanterhavet med i 1970. Utstillingene omfatter også den eneste avstøpningen av en 9,2 m høy Påskeøystatue.

The Kon-Tiki Museum houses the original balsa raft 'Kon-Tiki', on which Thor Heyerdahl crossed the Pacific Ocean in 1947, and the reed boat 'Ra II ' on which he crossed the Atlantic Ocean in 1970. The exhibition also includes the only replica of a 9.2 m high Easter Island statue.

VIKINGSKIPSHUSET

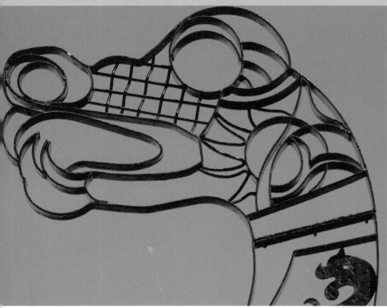

Osebergskipet (22 m langt) som ble gravet frem i 1904 etter å ha vårt begravet i over 1000 år.

The Oseberg Ship (22 m long) was excavated in 1904 after being buried for more than 1,000 years.

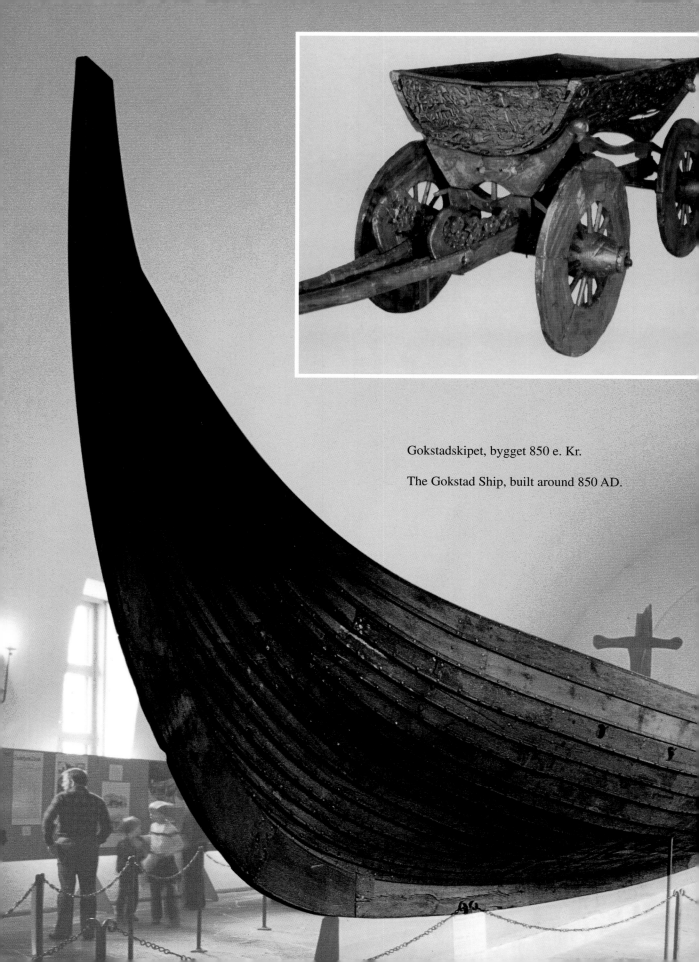

Gokstadskipet, bygget 850 e. Kr.

The Gokstad Ship, built around 850 AD.

Sleden ovenfor og vognen til venstre er to av de rikt dekorerte gjenstander som ble gravet ut sammen med Osebergskipet. Det var skikk blant vikingene å la de avdøde få med seg utstyr som de trengte for å fortsette sin gjerning i et liv etter døden.

The sleigh above and the wagon to the left are two of the ornately decorated artefacts that were discovered with the Oseberg Ship. It was the custom among the Vikings to bury the dead with their belongings, which they would need in the afterlife.

GOKSTADSKIBET

VIGELANDSPARKEN

Gustav Vigelands (1869-1943) skulpturpark er verdens største samling av skulpturer utført av en person. På 320 mål har han plassert 192 skulpturer med til sammen 650 figurer. Her har han skildret menneskenes vandring på jorden fra mors liv til graven.

Gustav Vigeland's (1869-1943) sculpture park is home to the world's largest collection of statues sculpted by one person. There are 192 sculptures, together depicting 650 figures, portraying the human experience from a mother's womb to the grave, on this 80 acre site.

Figurporter i smijern med Monolitten
i bakgrunnen.

Ornate cast iron gates with the
Monolith in the background.

EDV. MUNCH

Oslo har en rekke store museer og mange offentlige bygninger med en rik utsmykking. Vår mest berømte kunstner er Edv. Munch (1863 - 1944). Hans kunst kan vi finne i Universitetets Aula, Oslo Rådhus og Nasjonalgalleriet, men den største samlingen er i Munchmuseet.

Oslo has several large museums and many richly decorated public buildings. Our most famous artist is Edvard Munch (1863-1944). His works can be seen in the University's banqueting hall, Oslo City Hall and The National Gallery, however, the largest collection is housed at The Munch Museum.

Edv. Munch: Selvportrett 1893, litografi.

Edvard Munch: Self-portrait, 1893, lithography.

Edv. Munch: Stemmen 1893, olje.

Edvard Munch: The Voice, 1893, c

Oslo Universitet, Blindern.

Oslo University, Blindern.

Fra de gamle industriområder
ved Akerselva.

One of the old industrial
areas by the river Aker.

HOLMENKOLLEN

Skisporten har lange tradisjoner i Norge, og i umiddelbar tilknytning til Holmenkollbakken finner vi et moderne skimuseum som viser skisportens utvikling i Norge gjennom århundrer.

Skiing has a long tradition in Norway. A modern skiing museum adjoins Holmenkollen Ski Jump, portraying the sport's development in Norway through the centuries.

NORDMARKA

Over byen og fjorden ligger Nordmarka og Østmarka. Her er mange naturperler, pluss et godt utbygd nett av løyper og serveringssteder. Så snart isen fryser på elver og sjøer er vintereventyret igang.

Above the city and the fjord lie Nordmarka and Østmarka. There are many natural beauty spots here, plus a well-developed network of ski runs and cafeterias. The winter adventure begins as soon as the ice freezes on the rivers and lakes.

ÅPEN KIOSK
I
TÅRNET
• Varm mat og drikke
• Sjokolade
• Mineralvann
• Pntetgull

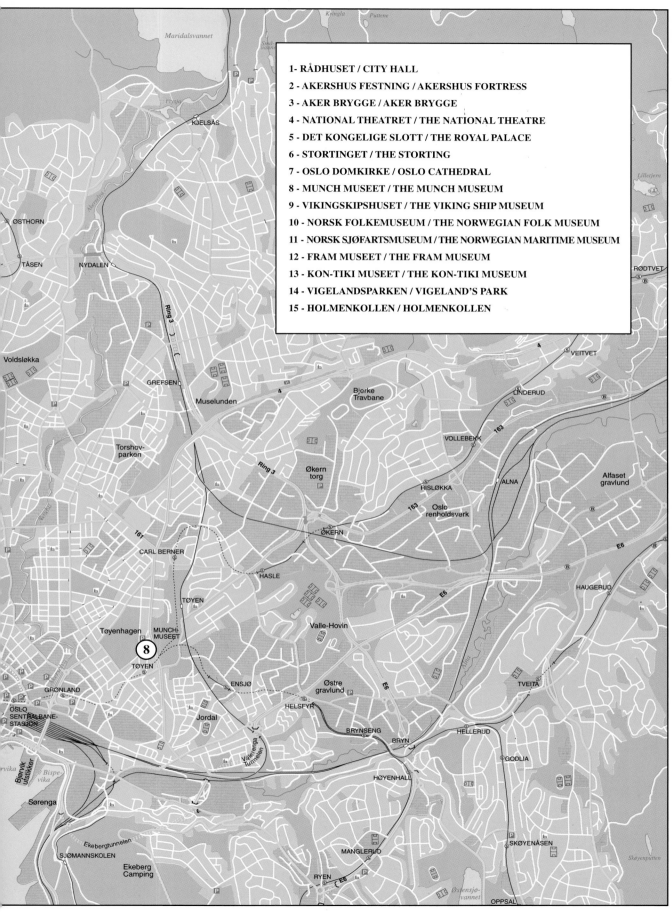

1- RÅDHUSET / CITY HALL

2 - AKERSHUS FESTNING / AKERSHUS FORTRESS

3 - AKER BRYGGE / AKER BRYGGE

4 - NATIONAL THEATRET / THE NATIONAL THEATRE

5 - DET KONGELIGE SLOTT / THE ROYAL PALACE

6 - STORTINGET / THE STORTING

7 - OSLO DOMKIRKE / OSLO CATHEDRAL

8 - MUNCH MUSEET / THE MUNCH MUSEUM

9 - VIKINGSKIPSHUSET / THE VIKING SHIP MUSEUM

10 - NORSK FOLKEMUSEUM / THE NORWEGIAN FOLK MUSEUM

11 - NORSK SJØFARTSMUSEUM / THE NORWEGIAN MARITIME MUSEUM

12 - FRAM MUSEET / THE FRAM MUSEUM

13 - KON-TIKI MUSEET / THE KON-TIKI MUSEUM

14 - VIGELANDSPARKEN / VIGELAND'S PARK

15 - HOLMENKOLLEN / HOLMENKOLLEN

Utgitt av / Published by: Normanns Kunstforlag AS
Tekst / Text: Jac Brun/Inge Stikholmen
Translated by Stephen G. Evans at Language Power, Translation dept., Oslo
Formgiving / Design: Dino Sassi/Inge Stikholmen
Trykket av / Printed by: Kina Italia S.p.A. - Milan

Bildene til denne bok er i alt vesentlighet fotografert av Dino Sassi.
Most of the photographs in this book were taken by Dino Sassi.

For øvrig er følgende bilder stilt til disposisjon av:
Fjellanger Widerøe AS: side 24-26, 48, 54 øverst, 69 øverst, 70-71. Per Andersen: side 54 nederst.
Trygve Gulbrandsen: side 2-3 nederst, 4, 16-17 øverst, 38 øverst, 42, 72 nederst/midten, 76, 80.
Nils S. Egelien: side 36 nederst. Herbert Czoschke: side 6-7, 74-75.
Mittet-Foto: side 60-61 øverst, 68. Urpo Tarnanen: side 36-37 øverst, 77.
Siro Leonardi: side 6 nederst, 57, 72. Kon-Tiki Museet: side 56 nederst.

Additional photographs courtesy of:
Fjellanger Widerøe AS: page 24-26, 48, 54 top, 69 top, 70-71. Per Andersen: page 54 bottom.
Trygve Gulbrandsen: page 2-3 bottom, 4, 16-17 top, 38 top, 42, 72 bottom/middle, 76, 80.
Nils E. Egelien: page 36 bottom. Herbert Czoschke: page 6-7, 74-75.
Mittet-Foto: page 60-61 top, 68. Urpo Tarnanen: page 36-37 top, 77.
Siro Leonardi: page 6 bottom, 57, 72. The Kon-Tiki Museum: page 56 bottom.